Margot
scargot

Barnabé
le scarabée

Huguette
la guêpe

Mireille
l'abeille

César
le lézard

Luce
la puce

éonard
têtard

Merlin
le merle

Oscar
le cafard

Lorette
la pâquerette

Luna
la petite ourse

Camille
la chenille

Solange
la mésange

yprien
e chien

Adrien
le lapin

Loulou
le pou

Prosper
le hamster

Grace
la limace

Ursule
la libelulle

Gabriel le
lutin de Noël

enjamin
Père Noël
s jardin

Georges le
rouge-gorge

Lulu
la tortue

théo
le mulot

Gallimard Jeunesse/Giboulées
Sous la direction de Colline Faure-Poirée
et Hélène Quinquin
Direction artistique : Syndo Tidori
Édition : Patricia Guédot

ISBN : 978-2-07-507502-2
Premier dépôt légal : avril 2012
Dépôt légal : décembre 2017
Numéro d'édition : 332591
Loi n° 49956 du 16 juillet 1949
sur les publications destinées à la jeunesse
Imprimé en France par Pollina - 83311B

Les drôles de petites bêtes

Siméon le papillon

Antoon Krings
Gallimard Jeunesse Giboulées

Il y avait dans un jardin, au milieu des lys odorants et des rosiers grimpants, une petite maison tapissée de pâquerettes où vivait un papillon qui s'appelait Siméon.

Siméon aimait la compagnie des fleurs.
Chaque matin, il s'envolait pour voir
ses amies. Chez la première, il faisait
un brin de toilette, avec la seconde,
il prenait le thé, et sur la troisième,
il se balançait. Et ainsi de suite…

Puis, quand le soleil se couchait, que les fleurs se refermaient, Siméon rentrait chez lui. Il se glissait délicatement, pour ne pas froisser ses ailes, sous une petite couette garnie de pétales de roses et, très vite, s'endormait jusqu'au lendemain.

Cependant, un matin, il retrouva ses protégées, mais hélas, mille fois hélas aucune d'entre elles ne l'accueillit. Tête baissée, les pétales négligés, les fleurs dormaient à poings fermés.

Siméon eut beau voler de fleur en fleur, et les parer de fines gouttes de rosée, le jour suivant fut comme le précédent.

« Allons, ne restez pas plantées comme ça ! Réveillez-vous, mes belles ! » s'écria-t-il en secouant quelques tiges. En vain. Pas un lys, pas même une petite violette ne lui répondit.

« Pourquoi mes fleurs ont-elles si mauvaise mine ? » se demandait-il souvent en voyant leurs têtes fanées.

– Moi je sais, répondit Belle la coccinelle, un jour qu'elle passait par là. Cette nuit, elles sont allées au bal des tulipes, c'est pour ça qu'elles sont si fatiguées.

« Les fleurs ne dansent pas », pensa le papillon, qui ne l'écouta pas davantage.

La coccinelle avait pourtant dit vrai. Quand minuit sonnait, les fleurs se réveillaient et se mettaient à danser en se balançant furieusement de tous côtés, tandis qu'un papillon de nuit qui jouait merveilleusement de la trompette tourbillonnait autour de leurs têtes frémissantes.

Ce papillon trompettiste qui, vous l'avez compris, était un peu magicien, ne faisait pas danser que les fleurs. Il s'en alla donc un soir près de la mare où se donnait un autre bal, celui des moustiques.

Ainsi, les fleurs du jardin retrouvèrent
leur éclat et Siméon son sourire,
les boutons d'or brillaient tant qu'ils
pouvaient, les jacinthes faisaient
tinter leurs clochettes, et l'air
embaumait d'un parfum délicieux.

– Regardez, chère coccinelle, comme mes amies sont belles aujourd'hui !

– Oh là là la tête me tourne ! lui répondit Belle. J'ai dansé toute la nuit au bal des moustiques. Il y avait un papillon qui jouait de la trompette, c'était formidable !

– Un papillon qui jouait de la trompette ? Mais quelle imagination, chère coccinelle !

Si cette histoire ne vous a pas assoupis, venez tous ce soir au grand bal des lucioles, près du bois. Mais n'en parlez pas à Siméon: la nuit, il dort et de toute façon il ne vous écoutera pas.

Marie
la fourmi

Louis
le papillon
de nuit

Frédéric
le moustique

Marguerite
petite reine

Juliette
la rainette

Odilon
le grillon

Pascal
la ciga...

Valérie la
chauve-souris

Benjamin
le lutin

Patouch
la mouche

Adèle
la sauterelle

Siméon
le papillon

Henri
le canari

Nora petit
de l'Opér...

Noémie
princesse
fourmi

Gaston
le caneton

Victor
le castor

Pierrot
le moineau

Édouard
le loir

Pat
le mille-pattes

Belle
la coccine...

Bob-le
bonhomme
de neige

Blaise
et thérèse
les punaises

Maud
la taupe